MIEUX COMPRENDRE

DÉPRESSION ET SANTÉ MENTALE

PETE SANDERS et STEVE MYERS

GAMMA • ÉCOLE ACTIVE

Aladdin Books Ltd 1995
28 Percy Street, London W1P OLD

Titre original : *Depression and Mental Health.*
Conception graphique :
David West Children's Book

© 2000 Éditions Gamma,
60120 Bonneuil-les-Eaux,
pour l'édition française.
Traduit par Jacques Canezza.
Dépôt légal : septembre 2000.
Bibliothèque nationale.
ISBN 2-7130-1905-2

Exclusivité au Canada :
Éditions École Active
2244, rue de Rouen,
Montréal (Québec) H2K 1L5.
Dépôts légaux : 3e trimestre 2000.
Bibliothèque nationale du Québec,
Bibliothèque nationale
du Canada.
ISBN 2- 89069-628-6

Loi n° 49-956 du 16 juillet 1949
sur les publications destinées
à la jeunesse.

Pete Sanders est chargé de cours
en hygiène de vie à l'Université
de Londres Nord. Il a été directeur
d'école pendant dix ans et a écrit
de nombreux ouvrages d'intérêt
social destinés aux enfants.

Steve Myers est auteur indépendant.
Il a participé à l'élaboration d'autres
ouvrages de cette collection et a
travaillé à la réalisation de plusieurs
projets éducatifs.

SOMMAIRE

COMMENT UTILISER CE LIVRE ?
Les livres de cette collection visent à aider les jeunes à mieux comprendre les problèmes qu'ils rencontrent.

Chaque ouvrage peut être abordé par l'enfant seul ou accompagné d'un parent, d'un professeur ou d'un éducateur pour approfondir certaines idées.

Les problèmes posés dans les B.D. invitent à la discussion et sont commentés dans les pages suivantes.

Le dernier chapitre « Et toi, que peux-tu faire ? » propose quelques conseils pratiques et une liste d'adresses utiles.

INTRODUCTION

DES MILLIERS DE PERSONNES DANS LE MONDE SOUFFRENT DE DÉPRESSION
OU D'UNE AUTRE FORME DE DÉTRESSE MENTALE.

Mais ces personnes refusent souvent d'aborder le sujet et cela conduit à beaucoup d'incompréhension, voire de peur.
Ce livre t'aidera à comprendre la dépression et les différents aspects de la santé mentale et te montrera comment ils affectent la vie de nombreuses personnes. Chaque chapitre présente un aspect du problème, puis l'illustre au moyen d'une histoire à épisodes. Les personnages affrontent des situations auxquelles sont confrontés de nombreux jeunes. Après chaque épisode, certaines questions sont abordées pour élargir la discussion.

TU PENSES QUE TOUT EST DE MA FAUTE ?

BIEN SÛR QUE NON, JULIEN. JE M'INQUIÈTE VRAIMENT POUR TOI. POURQUOI REFUSES-TU QUE J'APPELLE MAX ?

LES RÉACTIONS ÉMOTIONNELLES

IL EST ESSENTIEL DE MENER UNE VIE SAINE.

Mais cela ne signifie pas seulement d'être en forme et de manger équilibré. Cela implique aussi de prendre soin de sa santé mentale.

Il est naturel de ressentir des hauts et des bas, en particulier pendant la puberté, lorsque l'on traverse des périodes de mélancolie suivies de moments de bonheur et d'optimisme. Nous devons tous affronter des problèmes différents et maîtriser des sentiments et des pensées difficiles, et ce n'est pas toujours aisé.

Prendre soin de ta santé mentale signifie comprendre tes émotions, leur origine et comment elles peuvent être affectées par des influences extérieures. Le bien-être émotionnel et le bien-être physique sont souvent liés. Le fait d'attraper un rhume peut te donner le cafard. De la même manière, les émotions t'affectent parfois physiquement. Par exemple, si tu es énervé ou effrayé, tu peux te sentir mal ou être subitement incapable de bouger. Les problèmes mentaux et émotionnels et les angoisses sont aussi perturbants que des blessures ou des maladies physiques. C'est pourquoi, il est important, dans le domaine de la santé, de ne pas dissocier le physique du mental.

Les émotions, telle la jalousie, sont difficiles à vivre.

▽ Nadia Lasalle et son jeune frère Éric
sont sur le chemin de l'école.

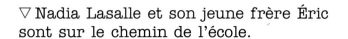

> **QU'EST-CE QUI T'ARRIVE ? TU N'AS RIEN DIT CE MATIN. NE ME DIS PAS QUE TU Y PENSES ENCORE.**

> **BIEN SÛR, QUE J'Y PENSE ! C'EST PAS À TOI QUE MAMAN A FAIT LA MORALE TOUTE LA SOIRÉE SUR LES RÉSULTATS SCOLAIRES.**

> **OUI, MAIS POURQUOI ES-TU SI DÉSAGRÉABLE ?**

> **TOI, ÇA VA. ELLE TE FICHE LA PAIX, MAIS ELLE EST TOUJOURS APRÈS MOI. POURQUOI TOUJOURS MOI ?**

▽ Les amis d'Éric
l'attendent.

▷ Nadia ne veut pas en
parler et part en courant.

> **SALUT ! QUI C'EST LE NOUVEAU ?**

> **ON SAIT PAS. IL A L'AIR BIZARRE. REGARDE SES LUNETTES.**

> **IL N'Y PEUT RIEN. VENEZ, ON VA LUI PARLER.**

> **T'ES NOUVEAU, NON ? COMMENT T'APPELLES-TU ?**

> **ADRIEN SIMON. JE VIENS D'ARRIVER.**

> **COMMENT ÇA SE FAIT QUE TU CHANGES D'ÉCOLE AU MILIEU DU TRIMESTRE ?**

▽ D'abord Adrien ne répond pas.
Puis, il décide de leur dire la vérité.

> **MON PÈRE A PERDU SON TRAVAIL IL Y A SIX MOIS ET IL N'EN A PAS RETROUVÉ. ON A DÛ VENDRE LA MAISON ET DÉMÉNAGER.**

> **C'EST HORRIBLE ! JE M'APPELLE ÉRIC. VOILÀ MICKAËL ET GUILLAUME.**

> **DÉSOLÉ, J'AI PAS BEAUCOUP DORMI CETTE NUIT. MES PARENTS SE SONT ENCORE DISPUTÉS.**

> **AVEC QUI PARLE ÉRIC ?**

> **JE NE SAIS PAS. LISA, QU'EST-CE QUE TU AS SUR LE VISAGE ?**

> **NADINE ! TU M'AS DIT QUE ÇA ALLAIT ! C'EST UNE NOUVELLE CRÈME, NADIA, POUR CACHER MES BOUTONS !**

△ Avant que Nadia ait le temps de lui dire
que ça ne marche pas, elles rentrent en classe.

Personne ne connaît précisément l'origine des émotions.

Elles peuvent être directement influencées par ce que tu penses de toi et par la façon dont les autres te considèrent. Ta famille, tes amis, ta situation sociale, ton milieu culturel et les décisions que tu prends peuvent influer sur tes émotions. Tu n'es pas affecté que par les choses qui t'arrivent directement. La peine ou la joie d'une autre personne peut provoquer chez toi une réponse émotionnelle.

Nadia est troublée par les attentes de ses parents.

L'humeur est un mélange d'émotions conditionnant tes réactions à des situations. Pendant la puberté, les sautes d'humeur sont fréquentes. Ce n'est pas un problème tant qu'elles ne sont pas durables.

Adrien n'ose pas trop parler de sa situation.

Personne ne ressent les mêmes émotions ou ne les exprime de la même manière. Certains parlent facilement de leurs émotions avec leurs amis ou leur famille. D'autres préfèrent les garder plus secrètes. Les gens attendent souvent de toi des réactions précises à des moments donnés. Mais tu ne ressens peut-être pas la même chose qu'eux. Tu dois maîtriser tes propres émotions et trouver la façon la mieux appropriée et la plus saine de les exprimer.

QU'EST-CE QUE LA DÉPRESSION ?

LA DÉPRESSION EST UN FORT SENTIMENT DE TRISTESSE OU DE DÉSESPOIR QUI PEUT INFLUENCER TA PERCEPTION DES PERSONNES ET DES SITUATIONS.

Si tu penses, par exemple, qu'une situation est injuste ou désespérée ou si tu t'es disputé avec un ami, tu peux te sentir déprimé.
La plupart des périodes de dépression durent peu de temps. Pour certaines personnes, la dépression dépasse une tristesse passagère que nous éprouvons tous, et elle se caractérise par sa persistance. Chaque cas est différent, mais la plupart des dépressions sévères débutent par une baisse de moral qui s'aggrave. Les personnes sont alors submergées par un sentiment de désespoir. Elles ont des pensées de plus en plus négatives et se sentent inutiles ou déçues par tout le monde.

Les personnes ressentent un manque d'énergie et n'ont plus goût à rien.

△ Quelques jours plus tard, la mère d'Adrien lui demande comment il se débrouille à l'école.

BIEN, JE CROIS. IL Y A UN GARÇON, DAVID, QUI EST PÉNIBLE, MAIS JE ME SUIS FAIT QUELQUES COPAINS. MON ANCIENNE ÉCOLE ME MANQUE.

JE SAIS, MON CHÉRI. MAIS BAISSE UN PEU LA RADIO, VEUX-TU ? TON PÈRE DORT ENCORE.

C'EST PAS VRAI ! IL NE FAIT QUE ÇA CES JOURS-CI ! IL N'ESSAIE MÊME PAS DE TROUVER DU TRAVAIL. IL PASSE SON TEMPS À REGARDER LA TÉLÉ.

CE N'EST PAS VRAI, ADRIEN. TON PÈRE A ÉTÉ TRÈS CHOQUÉ PAR TOUT ÇA.

ET NOUS ALORS ? ON DIRAIT QU'IL S'EN FICHE ! TOUT ÇA, C'EST DE SA FAUTE.

ADRIEN, C'EST HORRIBLE, CE QUE TU DIS.

△ Une voix fait sursauter sa mère.

J'AI PARFOIS L'IMPRESSION QU'IL A RAISON. VOUS SERIEZ SANS DOUTE MIEUX SANS MOI.

△ Adrien attrape son sac et se précipite dehors.

JULIEN, TU M'AS FAIT PEUR. DEPUIS QUAND ES-TU LÀ ?

ASSEZ LONGTEMPS. TU PENSES LA MÊME CHOSE ? QUE TOUT EST DE MA FAUTE ?

PARCE QUE JE N'AI PAS BESOIN D'UN MÉDECIN ET ENCORE MOINS DE VOIR TON PSYCHIATRE DE FRÈRE.

BIEN SÛR QUE NON, JULIEN. JE M'INQUIÈTE VRAIMENT POUR TOI. TU N'ES PLUS LE MÊME. POURQUOI REFUSES-TU QUE J'APPELLE MAX ?

△ Mme Simon essaie de lui parler, mais il fuit dans le salon.

8

▽ Quelques semaines plus tard, après le cours, Éric demande à ses amis s'ils veulent aller en ville.

PARCE QUE TU AS UNE FIGURE DE PIZZA !

TAIS-TOI, CRÉTIN !

JE VIENS, JE NE SUIS PAS PRESSÉ DE RENTRER. C'EST LA GUERRE EN CE MOMENT.

ILS N'ARRÊTENT JAMAIS ? ALLONS CHEZ MARIO, MANGER UNE PIZZA.

ÉRIC, LAISSE-LA. ELLE N'Y PEUT RIEN SI ELLE A DES BOUTONS.

GÉNIAL ! J'ADORE ÇA.

MA SŒUR EN AVAIT PLEIN QUAND ELLE AVAIT TON ÂGE. ÇA LA RENDAIT TRÈS MALHEUREUSE !

ÉCOUTEZ, C'EST DÉJÀ ASSEZ PÉNIBLE COMME ÇA SANS QUE TOUT LE MONDE EN PARLE SANS ARRÊT.

NE ME PARLE PAS D'EXAMENS, S'IL TE PLAÎT. MA MÈRE N'ARRÊTE PAS DE ME RÉPÉTER QUE C'EST IMPORTANT D'AVOIR DE BONS RÉSULTATS.

TU NE DEVRAIS PAS T'EN FAIRE. LES BOUTONS, C'EST NORMAL QUAND ON GRANDIT, C'EST COMME LES EXAMENS.

JE FAIS TOUT CE QUE JE PEUX, MAIS ILS CRITIQUENT TOUT. MÊME QUAND J'AI DE BONNES NOTES, ILS ME DISENT QUE J'AURAIS PU MIEUX FAIRE.

LA MIENNE AUSSI. LE PLUS SOUVENT, J'ESSAIE DE NE PAS Y FAIRE ATTENTION.

▽ Le lendemain soir, Nadia regarde la télévision.

△ Nadia dit que pour Nadine, c'est différent. Tous savent que c'est une très bonne élève.

▽ Nadia monte dans sa chambre. Éric et Guillaume lui rendent visite.

NADIA, AS-TU FINI TES DEVOIRS ? TU SAIS QUE C'EST IMPORTANT D'AVOIR DE BONNES NOTES.

JE SAIS, MAMAN, TU N'ARRÊTES PAS DE ME LE RÉPÉTER ! J'AI FINI.

QU'EST-CE QUI SE PASSE ? PAPA ET MAMAN SONT DANS TOUS LEURS ÉTATS.

NADIA, TU AS MANGÉ TOUT ÇA TOUTE SEULE ? TU VAS GROSSIR !

NON. D'AILLEURS JE M'EN FICHE. LAISSEZ-MOI, J'AI EU ASSEZ DE SERMONS POUR CE SOIR !

SI TU PASSAIS MOINS DE TEMPS DEVANT LA TÉLÉ, NOUS N'AURIONS PAS À SURVEILLER TON TRAVAIL.

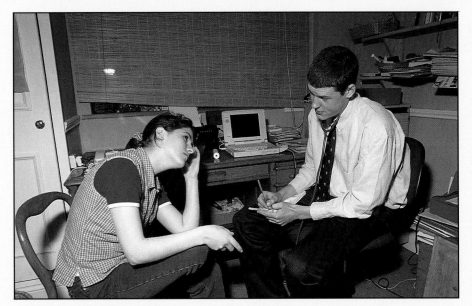

Monsieur Simon se sent inutile à sa famille.
La dépression est parfois si grave que certaines personnes pensent que leur vie ne vaut plus la peine d'être vécue. Des pensées suicidaires accompagnent souvent la dépression. C'est pourquoi, il est si important d'essayer d'exprimer ses sentiments et de ne pas hésiter à demander de l'aide.

La plupart des gens traversent de courtes périodes de déprime, mais parviennent à les surmonter.
Ces déprimes sont différentes de la dépression clinique dont les crises durent plusieurs semaines et s'accompagnent de sautes d'humeur très marquées. La dépression clinique entraîne parfois des changements de personnalité. Remonter le moral ne suffit pas à guérir ce type de dépression, car il s'agit d'une maladie et les personnes qui en souffrent ont besoin, pour en guérir, d'un traitement et d'un soutien particuliers.

Se sentir déprimé ne signifie pas souffrir de dépression clinique.
Les symptômes de la dépression clinique peuvent avoir d'autres origines. Un diagnostic précis doit être établi afin de déterminer le traitement.

LES CAUSES DE LA DÉPRESSION

LES CAUSES DE LA DÉPRESSION VARIENT D'UN CAS À L'AUTRE.

Personne ne comprend les causes exactes de la dépression clinique, mais il existe de nombreuses théories. La dépression résulte de plusieurs facteurs agissant ensemble au même moment.

Tout le monde est sujet à la dépression. Le nombre de jeunes dépressifs est en augmentation. Les chercheurs pensent que dans certains cas la dépression est héréditaire : il semble que les enfants de dépressifs soient plus exposés, mais cela n'a pas encore été prouvé. D'autres causes possibles sont la lésion de circuits nerveux cérébraux ou un déséquilibre hormonal. La dépression peut accompagner aussi certaines maladies. Il est probable que les régimes alimentaires jouent un rôle, car des carences en certaines vitamines et en fer provoquent parfois des symptômes de dépression.

Il y a aussi des facteurs sociaux et psychologiques. La perte d'une personne chère peut entraîner une dépression. Le stress provoqué par le travail ou la rupture d'une relation entraîne souvent une dépression.

Des changements importants, tels un déménagement ou un changement d'école, causent parfois des dépressions.

▽ Six semaines plus tard, Adrien et Éric se dépêchent d'aller en cours.

▽ David et Pierre éclatent de rire et ils passent en les bousculant.

HÉ, REGARDE OÙ TU VAS, BINOCLARD !

IL NE PEUT PAS ! REGARDE SES LUNETTES. IL DOIT AVOIR BESOIN D'UN RADAR POUR TROUVER SON CHEMIN.

TRÈS DRÔLE, PIERRE, MAIS C'EST TOI QUI M'ES RENTRÉ DEDANS.

QU'EST-CE QUI LUI ARRIVE, À DAVID ?

JE NE SAIS PAS. AVANT IL ÉTAIT SYMPA. FAIS ATTENTION, IL PEUT ÊTRE MÉCHANT QUAND IL EST EN COLÈRE.

▽ Le lendemain, Adrien trouve les autres en train de parler de Guillaume.

ADRIEN, T'ES AU COURANT ? LES PARENTS DE GUILLAUME SE SÉPARENT.

QUOI ? COMMENT TU LE SAIS ?

TOI AUSSI TU LE SERAIS, SI C'ÉTAIT TES PARENTS. LES MIENS ONT DIVORCÉ IL Y A DEUX ANS.

OUI, JE M'EN SOUVIENS. TU N'ÉTAIS PLUS LA MÊME, À CETTE ÉPOQUE-LÀ.

JE SUIS ALLÉ CHEZ LUI, HIER SOIR. SON PÈRE EST DÉJÀ PARTI ET IL ÉTAIT BOULEVERSÉ.

JE N'ARRIVE PAS À IMAGINER CE QUE JE RESSENTIRAIS SI MES PARENTS SE SÉPARAIENT. PAUVRE GUILLAUME !

▽ En rentrant chez lui, Mickaël remarque qu'Adrien est très silencieux.

JE PENSAIS À MON PÈRE. ÇA ME MET EN COLÈRE DE LE VOIR. IL A CHANGÉ. IL A L'AIR SI DÉPRIMÉ !

PERDRE SON TRAVAIL ET SA MAISON, ÇA DÉPRIMERAIT N'IMPORTE QUI.

C'EST SUPPOSÉ ÊTRE UN HEUREUX ÉVÉNEMENT, MAIS MA MÈRE NE L'A PAS SUPPORTÉ ; ELLE PLEURAIT TOUT LE TEMPS.

C'EST LA MÊME CHOSE AVEC MON PÈRE. ON DIRAIT QU'IL A PERDU TOUT ESPOIR.

APRÈS LA NAISSANCE DE MA SŒUR, MA MÈRE ÉTAIT VRAIMENT BIZARRE.

△ Adrien dit au revoir à ses amis et rentre chez lui.

Les adolescents doivent faire face à d'importants changements dans leur vie.
Certains doivent affronter la séparation de leurs parents ou s'habituer à vivre dans une belle-famille. D'autres sont confrontés à des problèmes dans leurs relations amicales, à la violence ou l'adaptation à une nouvelle école. Si le changement est imposé, il est souvent plus difficile à accepter. Mais tu peux apprendre à gérer tes émotions. Il faut d'abord admettre que tu ressens ces émotions et en parler à quelqu'un qui puisse t'aider à les dominer.

Adrien pense que son père est désespéré.
Être soumis à trop ou pas assez de pression peut s'avérer négatif. Penser que tu n'es pas à la hauteur est un facteur de dépression. Si tu crois que la pression qui pèse sur toi devient trop lourde, parles-en à quelqu'un en qui tu as confiance. Beaucoup d'adolescents pensent, souvent à tort, que ce qu'ils ressentent est unique. S'exprimer permet de prendre conscience que chacun éprouve des difficultés émotionnelles et qu'il existe des moyens de les surmonter.

Une naissance est un événement heureux.
La mère de Mickaël éprouve des sentiments inverses. De nombreuses mères traversent une période de dépression connue sous le nom de dépression postnatale, qui peut être causée par des taux élevés de certaines hormones dans le corps. La plupart des mères surmontent cette dépression grâce à des conseils et de l'aide.

LA SANTÉ MENTALE

TOUT COMME CHAQUE PERSONNE EST UNIQUE PHYSIQUEMENT, IL N'EXISTE PAS DEUX PERSONNES QUI RÉAGISSENT MENTALEMENT DE LA MÊME MANIÈRE.

De nombreuses personnes craignent la différence, ce qui rend souvent les problèmes de santé mentale plus difficiles à comprendre.

La détresse mentale survient pour des raisons variées et affecte les gens de diverses manières. Certains naissent avec une affection particulière. D'autres développent un problème à la suite d'une blessure, d'une maladie, ou d'un événement stressant survenu dans leur vie. Les gens peuvent être touchés si profondément par ce qui leur est arrivé qu'ils se trouvent incapables de dominer leurs pensées et leurs émotions. Certains expriment facilement leurs émotions. D'autres trouvent difficile de les montrer et vont essayer de les refouler, ce qui engendre parfois des problèmes. Les personnes atteintes de certains troubles mentaux sont souvent considérées comme dénuées d'intelligence. Mais nous avons tous des capacités mentales différentes. Les représentations que les gens se font des maladies mentales sont souvent déformées et font obstacle à la compréhension des problèmes.

Les personnes souffrant de troubles mentaux ont parfois des difficultés à assumer des tâches simples.

▽ En rentrant chez lui, Adrien a la surprise de trouver son oncle Max.

> TON ONCLE A DONNÉ QUELQUE CHOSE À TON PÈRE POUR L'AIDER À DORMIR.

> POURQUOI ? D'APRÈS MOI, IL N'EN A PAS BESOIN.

> ADRIEN, JE SAIS QUE TU ES EN COLÈRE, MAIS JE PENSE QUE TON PÈRE EST VRAIMENT MALADE.

▽ Mme Simon est émue. Max essaie d'expliquer la situation à Adrien.

> LA DÉPRESSION DE TON PÈRE N'EST PAS DE CELLES QUE NOUS AVONS TOUS DE TEMPS À AUTRE. JE PENSE QU'IL VA AVOIR BESOIN DE BEAUCOUP D'AIDE ET DE SOUTIEN POUR S'EN SORTIR.

> MAIS, COMMENT POUVONS-NOUS L'AIDER ?

> TU CONNAIS PROBABLEMENT LES SAUTES D'HUMEUR. LA PLUPART D'ENTRE NOUS APPRENNENT À GÉRER LEURS ÉMOTIONS. MAIS CERTAINS N'Y PARVIENNENT PAS. LES MALADIES MENTALES NÉCESSITENT UN TRAITEMENT ADAPTÉ.

◁ Max dit qu'il reste bien des choses à apprendre sur le fonctionnement de notre esprit.

> LA MANIÈRE DONT L'ESPRIT FONCTIONNE PEUT ÊTRE AFFECTÉE PAR DE NOMBREUSES CHOSES.

> IL SERA COMME MÉMÉ ? ELLE ÉTAIT BIZARRE ; ELLE ME RACONTAIT CE QU'ELLE FAISAIT À MON ÂGE ET ELLE NE SE RAPPELAIT PAS QUI J'ÉTAIS.

> TON ARRIÈRE-GRAND-MÈRE AVAIT LA MALADIE D'ALZHEIMER.

▷ Adrien apprend que son père souffre d'une maladie mentale.

▽ La famille Lasalle est à table.

> TU N'AS PAS L'AIR EN FORME. SI TU N'AVAIS PAS AUTANT D'APPÉTIT, JE PENSERAIS QUE TU COUVES QUELQUE CHOSE.

> ÇA VA. JE PEUX SORTIR DE TABLE ? J'AI DU TRAVAIL.

▽ Nadia monte dans sa chambre. Plus tard, Éric la rejoint.

> ÇA VA, NADIA ? J'AI CRU T'ENTENDRE VOMIR TOUT À L'HEURE.

> J'AI DÛ MANGER QUELQUE CHOSE QUI N'EST PAS PASSÉ. NE T'INQUIÈTE PAS, ÇA VA !

Troubles de l'alimentation

Bien qu'ayant des conséquences physiques, ces troubles ont une origine psychologique. Les anorexiques perdent beaucoup de poids sans se rendre compte de leur maigreur. Les boulimiques consomment de grandes quantités de nourriture, mais tentent de limiter la prise de poids par des vomissements provoqués.

Maladie d'Alzheimer

Cette maladie affecte les personnes âgées et se caractérise par une détérioration de la mémoire et des fonctions mentales. En s'aggravant, elle peut provoquer des changements de personnalité, des difficultés à parler et à reconnaître des personnes et une dépendance croissante. On ne guérit pas de cette maladie, mais le nombre de personnes atteintes est faible.

Automutilations

Certaines personnes souffrant de troubles mentaux se blessent volontairement, en se coupant par exemple. Ces personnes ont souvent une piètre opinion d'elles-mêmes et estiment mériter de souffrir.

Délire

Un délire est une illusion à laquelle une personne s'accroche bien qu'elle ait la preuve que celle-ci n'existe pas. Les personnes souffrant de ce type de trouble ont des difficultés à reconnaître et à comprendre ce qui est réel de ce qui ne l'est pas.

Dépression nerveuse

C'est une charge émotionnelle trop forte qui empêche une personne de vivre normalement. Une dépression peut être la conséquence d'un événement traumatisant ou d'un grand stress. Les personnes qui en souffrent en guérissent très souvent d'elles-mêmes ou estiment mériter de souffrir. Ces troubles peuvent être soignés.

Troubles obsessionnels

Une obsession est une préoccupation ou un intérêt intense pour une personne ou une chose. Cet intérêt semble parfois être la seule chose qui importe. Certains jeunes gens sont obsédés par leur aspect physique.

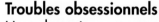

Si, par exemple, ils ont des boutons, ils pensent être moins attirants.

Paranoïa

C'est une forme de trouble mental dans lequel une personne pense qu'elle est persécutée.

Phobie

Une phobie est une peur intense d'une chose, d'une activité ou d'une situation spécifiques. L'objet de la phobie peut être l'eau, les espaces clos, les araignées, la mer…

Psychose

La psychose est un trouble mental dans lequel les personnes perdent tout sens de la réalité. Il y a beaucoup de troubles psychotiques qui peuvent être dangereux si les personnes atteintes perdent le sens de ce qui est bien et mal.

Psychose maniaco-dépressive

Les maniaco-dépressifs présentent les symptômes de la dépression, mais éprouvent aussi des moments d'euphorie. Ils connaissent des périodes d'excitation et d'hyperactivité, puis retombent dans des périodes d'abattement.

Schizophrénie

Les personnes atteintes de schizophrénie sont souvent décrites à tort comme ayant une double personnalité. Mais ce trouble psychotique altère, en fait, le processus de la pensée et les personnes éprouvent des difficultés à se concentrer sur la réalité. Certaines d'entre elles doivent être hospitalisées.

Timidité, anxiété et crises d'angoisse

Les jeunes sont souvent timides. La timidité pose des problèmes, mais peut être vaincue. L'anxiété et les crises d'angoisse empêchent une personne de réagir normalement dans des situations qu'elle serait en mesure de contrôler. Ces angoisses sont accompagnées d'étourdissements, de douleurs dans la poitrine et de sueurs.

LE QUOTIDIEN

LES EFFETS DES TROUBLES MENTAUX SUR LA VIE D'UN INDIVIDU DÉPENDENT DE SA PERSONNALITÉ ET DE LA MALADIE EN QUESTION.

La gravité de la maladie, l'aide et le soutien que reçoit la personne et sa réaction face à ses troubles sont les éléments du problème.
Une incapacité à se concentrer et un manque de motivation pour les activités quotidiennes simples sont des effets fréquents. Le malade tend à se négliger et à négliger les autres. Certains souffrent d'un manque d'appétit ou d'une perturbation du rythme du sommeil. Il en résulte parfois des troubles de la personnalité et certaines personnes deviennent agressives ou même violentes envers les autres ou elles-mêmes. Elles peuvent aussi avoir des troubles de la mémoire et s'exprimer de façon incohérente. La scolarité des jeunes peut en pâtir et ils souffrent des remarques des autres. Chez les adultes, les troubles de la personnalité posent des problèmes professionnels. Certains éprouvent des difficultés à trouver un emploi en raison de l'attitude des employeurs face à la détresse mentale. Des individus sont si gravement atteints qu'ils ont besoin de soins et d'attention constants.

Les troubles mentaux sont souvent une source de tension dans les relations avec la famille et les amis.

▽ Trois semaines plus tard, Nadine, Lisa et Nadia ont rendez-vous en ville.

ALLONS D'ABORD MANGER QUELQUE CHOSE.

MOI, JE N'AI PAS FAIM. J'AI BIEN DÉJEUNÉ.

HÉ BIEN, ÇA NE SE VOIT PAS. TU AS ENCORE PERDU DU POIDS ?

UN SEUL KILO. JE DEVAIS LE PERDRE, J'ÉTAIS AFFREUSE.

NE SOIS PAS BÊTE, TU ÉTAIS TRÈS BIEN.

C'EST VRAI. FAIS ATTENTION DE NE PAS PERDRE TROP DE POIDS.

△ Nadia n'a plus envie de faire les magasins et préfère s'en aller.

▽ Le lendemain, à l'école, Nadine va voir Éric.

IL Y A DES PROBLÈMES CHEZ TOI ? NADIA EST BIZARRE EN CE MOMENT. ELLE NE VEUT PARLER NI À LISA, NI À MOI.

JE NE SAIS PAS. MOI AUSSI, JE ME FAIS DU SOUCI. JE CROIS QU'ELLE S'INQUIÈTE POUR SES EXAMENS.

▽ Guillaume parle à Adrien.

ILS VONT DIVORCER, C'EST SÛR. ILS PARLENT DE VENDRE LA MAISON. JE DEVRAI PEUT-ÊTRE ALLER DANS UNE NOUVELLE ÉCOLE.

HÉ LES GARS, REGARDEZ ! JE CROIS QUE LE PETIT GARÇON VA PLEURER !

LAISSE-LE TRANQUILLE. POURQUOI ES-TU SI AGRESSIF ?

TU SAIS À QUI TU PARLES ? OU TU ES DEVENU FOU COMME TON PÈRE ?

◁ David s'éloigne en riant et Adrien est triste toute la journée.

LAISSE-MOI ! TU NE SAIS PAS DE QUOI TU PARLES.

TOUT LE MONDE SAIT QUE TON PÈRE EST DINGUE.

QU'EST-CE QUI SE PASSE ? QU'EST-CE QU'IL A, PAPA ?

JE SUIS RENTRÉE ET JE L'AI TROUVÉ COMME ÇA. J'APPELLE UNE AMBULANCE. IL A PEUT-ÊTRE AVALÉ DES COMPRIMÉS.

Certaines personnes ont une attitude négative envers la détresse mentale.
David est désagréable. Cette attitude négative peut dissuader certaines personnes de parler de leur problème, car elles auront peur des réactions. La détresse mentale ne doit pas être un sujet de honte et de moquerie. Les termes argotiques désignant les personnes souffrant de problèmes de santé mentale sont souvent blessants.

Certaines personnes s'occupent en permanence de membres de leur famille.
Ce rôle revient parfois à des enfants et à des adolescents et exige beaucoup de temps et d'énergie. Il est indispensable que la personne qui remplit ce rôle voie ses inquiétudes et ses besoins pris en considération. Sans cela, elle devra affronter de nombreux problèmes.

Guillaume et Adrien souffrent tous les deux de la situation avec leurs parents.
Les troubles mentaux ont bien sûr des effets sur la personne qui en souffre, mais aussi sur son entourage. Il est très difficile de voir souffrir ceux que tu aimes. Tu peux aussi être exaspéré en ne voyant pas de raison apparente à la dépression d'une personne et en éprouver de la colère.

LE STRESS

IL SERAIT IMPOSSIBLE D'ÉLIMINER COMPLÈTEMENT LE STRESS DE NOTRE VIE.
IL PEUT D'AILLEURS ÊTRE POSITIF S'IL RESTE DANS DES LIMITES CONTRÔLABLES.

Trop de stress empêche d'avoir un comportement normal.

Dans certains cas, le stress mène à d'autres troubles de la personnalité.
Les chercheurs estiment que les adolescents y sont de plus en plus soumis.
Le stress est parfois causé par les tensions familiales, la séparation des parents
par exemple, ou par les attentes des autres. Aller dans une nouvelle école,
préparer des examens ou se faire de nouveaux amis sont autant de sources
de stress. Les jeunes ont souvent peu de perspectives sociales
ou professionnelles. L'ennui et l'incertitude face
à l'avenir qui en résultent les rendent anxieux
et les soumettent à une pression. Chacun
d'entre eux combat le stress à sa façon,
en fréquentant des amis, en écoutant
de la musique, en dansant
ou en faisant du sport. À toi
de trouver ce qui te convient
le mieux.

Les périodes d'examens
sont très difficiles. Certains
les passent sans effort
particulier, mais pour
d'autres, c'est une source
d'anxiété.

▽ Le père d'Adrien est à l'hôpital pour une absorption massive de médicaments.

POURQUOI A-T-IL FAIT ÇA ?

JE NE SAIS PAS, MON CHÉRI. QU'EST-CE QUI VA SE PASSER MAINTENANT, MAX ?

QUAND IL SERA HORS DE DANGER, JE LE FERAI ADMETTRE DANS UN SERVICE SPÉCIALISÉ POUR QU'IL PUISSE BÉNÉFICIER DE L'AIDE DONT IL A BESOIN.

▽ Quelques jours plus tard, en ville, Mickaël et Adrien rencontrent de nouveau David.

OH, VOILÀ LES ENNUIS ! ET ON DIRAIT QU'IL A BU.

SALUT, BINOCLARD ! J'AI ENTENDU DIRE QU'ILS AVAIENT FINI PAR ENFERMER TON PÈRE ?

C'EST QUE TU N'ENTENDS PAS BIEN. ET DE TOUTE FAÇON, MON PÈRE, C'EST PAS COMME LE TIEN, IL NE ME BAT PAS.

EH BIEN JE NE VOUDRAIS PAS ÊTRE À TA PLACE, DEMAIN, À L'ÉCOLE. MAIS IL N'AURAIT JAMAIS DÛ DIRE CES CHOSES SUR TON PÈRE.

▽ Les deux amis partent en courant. David est trop choqué pour les poursuivre.

DAVID EST BATTU PAR SON PÈRE ?

JE LES AI VUS ENSEMBLE, UNE FOIS. TU AURAIS DÛ VOIR COMMENT IL TRAITAIT DAVID. DAVID AVAIT L'AIR D'AVOIR TRÈS PEUR DE LUI.

D'ABORD JE VOULAIS QUE PERSONNE NE SACHE QU'IL ÉTAIT À L'HÔPITAL, MAIS QUELQU'UN M'A ENTENDU EN PARLER À MA MÈRE. MAINTENANT ÇA VA. LES GENS SONT SYMPA.

▽ Nadia passe ses examens quelques semaines plus tard.

AH ! TE VOILÀ ! POURQUOI ES-TU PARTIE SI TÔT CE MATIN ? PAPA ET MAMAN TE CHERCHAIENT.

POUR ME RÉPÉTER QUE JE DEVAIS RÉUSSIR ?

NON, VOUS NE POURRIEZ PAS. VOUS NE COMPRENEZ PAS. TOUT LE MONDE PENSE POUVOIR ME DIRE CE QUE JE DOIS FAIRE. J'EN AI ASSEZ ! JE ME FICHE DE CES EXAMENS DÉBILES !

NADIA, POURQUOI FAIS-TU ÇA ? TU AS L'AIR FATIGUÉ. PARLE-NOUS ! NOUS POURRIONS T'AIDER.

△ Là-dessus, elle fait demi-tour et sort de l'école en courant.

Les brimades provoquent le stress.

Les brutes comme David veulent provoquer chez les autres la peur et le désarroi. Personne ne doit être soumis à des brimades et tu ne dois jamais t'en accommoder. Les personnes qui infligent ces brimades ont elles-mêmes souvent besoin d'aide.

Les mauvais traitements sont parfois un facteur de dépression.

Les violences physiques et sexuelles ont augmenté ces dernières années. Les jeunes victimes croient souvent qu'elles en sont responsables. Leur agresseur tente de les en convaincre pour les dissuader de les dénoncer. Mais ce n'est pas vrai. Tous les enfants ont le droit de grandir en se sentant protégés et libres de parler de leurs problèmes. Il faut toujours dénoncer les mauvais traitements, quel que soit l'agresseur.

Beaucoup d'adolescents veulent faire de nouvelles expériences.

Certains, comme David, ont consommé des drogues ou de l'alcool, soit pour imiter certains adultes, soit parce qu'ils croient que cela leur permettra d'échapper à leur quotidien qu'ils jugent ennuyeux. Mais la drogue et l'alcool n'apportent pas de solution à nos problèmes. En fait, loin de permettre d'échapper à la détresse et au malheur, l'alcool et la drogue aggravent les problèmes existants, en créent de nouveaux et menacent la santé physique et mentale.

OÙ TROUVER DE L'AIDE ?

LES PERSONNES SOUFFRANT DE PROBLÈMES DE SANTÉ MENTALE PEUVENT BÉNÉFICIER DE DIFFÉRENTS TYPES D'AIDE.

L'aide qui convient à une personne ne convient pas toujours à une autre, même si le problème semble être le même.
Le traitement doit être adapté à la fois au problème et à l'individu.
Les médicaments permettent de traiter certaines maladies mais, dans la plupart des cas, ils contrôlent les symptômes sans les guérir. Il existe des spécialistes : psychiatres, psychologues et psychanalystes. Ils tentent de déterminer la cause de la maladie et aident le patient. Dans certains cas, celui-ci doit être hospitalisé pendant quelque temps. L'état de santé du patient s'améliore parfois lentement et certains ne guérissent jamais tout à fait.

Les groupes d'auto-analyse permettent à des personnes ayant le même type de problèmes de partager leurs sentiments et d'en discuter.

▽ Plus tard, M. et Mme Lasalle parlent avec Nadia.

NADIA, LE COLLÈGE NOUS A DIT QUE TU N'AVAIS PAS PASSÉ TES EXAMENS AUJOURD'HUI.

ET ALORS ? JE ME SUIS DIT QUE SI JE NE LES PASSAIS PAS DU TOUT, VOUS NE SERIEZ PAS DÉÇUS PAR MES RÉSULTATS.

NON, ÇA NE L'EST PAS. JE CROIS QUE JE VAIS VOMIR.

NADIA, REVIENS. POURQUOI TE CONDUIS-TU COMME ÇA ?

NADIA, C'EST RIDICULE.

LAISSE-LA, CHÉRIE. JE CROIS QUE NOUS DEVRIONS APPELER UN MÉDECIN.

△ M. Lasalle comprend que Nadia a un gros problème.

▽ Quelques jours plus tard, Adrien et sa mère rendent visite à son père.

MAX DIT QUE TU VAS BIENTÔT RENTRER À LA MAISON.

JE REGRETTE CE QUE JE T'AI DIT, PAPA. JE PENSAIS QUE TU DEVAIS TE SECOUER, MAIS ONCLE MAX M'A PARLÉ DE TOUT ÇA ET JE SAIS MAINTENANT QUE J'AVAIS TORT.

C'EST SI DIFFICILE À DÉCRIRE. C'EST COMME SI PLUS RIEN N'AVAIT D'IMPORTANCE, COMME SI QUELQUE CHOSE POMPAIT TOUTE TON ÉNERGIE. PARLER À UN PSYCHIATRE M'A AIDÉ.

▽ Le lendemain, au collège, Éric et Nadine paraissaient bouleversés.

▽ Nadine explique que selon le médecin Nadia est boulimique.

C'EST NADIA, ELLE EST MALADE ET JE CROIS QUE C'EST DE MA FAUTE. JE L'AVAIS DÉJÀ VU VOMIR ET J'AURAIS DÛ COMPRENDRE CE QUI SE PASSAIT.

ELLE A DES PROBLÈMES AVEC LA NOURRITURE.

JE SAIS CE QUE C'EST. POURQUOI NADIA ?

JE PENSE QUE C'EST PARCE QUE MES PARENTS LUI METTENT LA PRESSION POUR LES EXAMENS.

CERTAINES PERSONNES CACHENT BIEN LA VÉRITÉ. MOI, J'AVAIS REMARQUÉ QU'ELLE AVAIT MAIGRI.

LE MÉDECIN DIT QUE C'EST À CAUSE DE LA MANIÈRE DONT ELLE RESSENT LES CHOSES.

QU'EST-CE QUI LUI ARRIVE ?

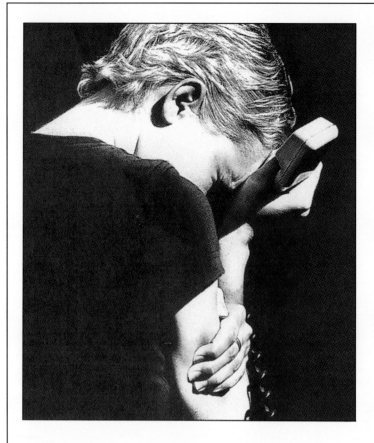

Adrien comprend maintenant la gravité de la dépression de son père.

Avec ce type de maladies, il est tentant de dire simplement aux malades de se secouer ou de mettre en valeur les aspects positifs de leur vie. Il est naturel de vouloir apporter son aide et de penser qu'insister sur ces aspects positifs est un premier pas vers la maîtrise des émotions. Cela peut être utile pour le genre de dépression dont nous souffrons tous de temps en temps. Mais pour les dépressifs cliniques, cette approche n'apporte rien. De nombreux dépressifs refusent qu'il y ait quoi que ce soit de positif dans leur vie.

Les amis de Nadia sont bouleversés de ne pas avoir remarqué son problème plus tôt.

Une manière d'aider les dépressifs est d'attacher plus d'importance à la santé mentale et de ne pas considérer la maladie comme quelque chose de bizarre et de dangereux. Ces malades ont le droit de voir leurs besoins satisfaits et d'être traités avec autant de respect que n'importe qui.

M. Simon a d'abord refusé de demander de l'aide.

Certaines personnes, qui consultent régulièrement leur médecin, sont réticentes à consulter un spécialiste. La psychothérapie n'a rien de honteux ou de suspect. Les psychiatres sont des médecins qui se sont spécialisés dans le traitement des maladies mentales.

PRENDRE SOIN DE SOI

GRANDIR EST UNE EXPÉRIENCE PASSIONNANTE, MAIS PRÉSENTE DES DIFFICULTÉS.

Ton équilibre mental est important, en particulier pendant la puberté, car les changements que tu subis te rendent vulnérable.
Avoir une bonne opinion de soi, croire en sa valeur propre, évite toutes sortes de problèmes. Les personnes conscientes de leurs émotions, même des négatives, et qui peuvent les exprimer, ont plus de chances d'être en bonne santé mentale que celles qui les refoulent. Tu ne devrais jamais nier un problème. Penser qu'il disparaîtra tout seul envenime souvent les choses. Il est important de chercher des solutions et d'essayer de se concentrer sur les aspects positifs. Prendre soin de ta santé physique en faisant du sport et en suivant un régime alimentaire sain, t'aide à renforcer ton équilibre mental.

Ta santé mentale est aussi importante que ta santé physique.

▽ Deux mois plus tard, Adrien invite ses amis pour son anniversaire.

> MERCI, GUILLAUME. COMMENT VAS-TU ?

> ÇA VA. JE VAIS DÉMÉNAGER DÈS QUE LA MAISON SERA VENDUE, MAIS J'IRAI TOUJOURS AU COLLÈGE.

> TU SEMBLES PRENDRE LES CHOSES CALMEMENT.

> AVEC MES PARENTS, NOUS AVONS BEAUCOUP PARLÉ DE LEUR SÉPARATION. ET ÇA VA MIEUX MAINTENANT.

> ADRIEN, TON PÈRE TE DEMANDE. COMMENT VA-T-IL ?

▽ Éric leur dit que Nadia fait une psychothérapie de groupe.

> IL VA BEAUCOUP MIEUX. IL N'A PAS ENCORE DE TRAVAIL, MAIS IL A RECOMMENCÉ À CHERCHER. COMMENT VA NADIA ? JE REGRETTE QU'ELLE NE SOIT PAS VENUE.

> ELLE EST ENCORE TRÈS MAIGRE, N'EST-CE PAS ?

> BIEN SÛR. ON NE PEUT PAS FORCER LES GENS À MANGER.

> JE REGRETTE QUE NOUS N'AYONS PAS COMPRIS PLUS TÔT CE QUI SE PASSAIT. MAIS MES PARENTS ONT ÉTÉ SUPER.

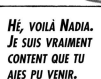

> HÉ, VOILÀ NADIA. JE SUIS VRAIMENT CONTENT QUE TU AIES PU VENIR.

> MERCI. JE NE DEVAIS PAS VENIR, MAIS J'AI APPRIS QUE JE POURRAIS REPASSER MES EXAMENS. JE NE SAIS PAS SI JE DOIS ME RÉJOUIR OU AVOIR PEUR.

> NI L'UN NI L'AUTRE. PRENDS LES CHOSES COMME ELLES VIENNENT.

> ADRIEN, J'AI OUBLIÉ DE TE DIRE. J'AI RENCONTRÉ DAVID HIER ET IL A ÉTÉ TRÈS SYMPA AVEC MOI.

> IL N'EST PAS MÉCHANT. IL NE FAIT QUE REPORTER SUR LES AUTRES LES SENTIMENTS QU'IL ÉPROUVE ENVERS LUI-MÊME.

> DAVID SYMPA ! JE N'Y CROIS PAS. MAINTENANT, IL NOUS FAUT UN MÉDICAMENT CONTRE L'ACNÉ ET TOUT IRA BIEN.

△ Lisa prend un glaçon et le glisse dans le dos de Guillaume.

Nadia est heureuse de recevoir de l'aide pour lutter contre sa boulimie.
Dans de nombreux cas de problèmes mentaux, le malade doit d'abord admettre que le problème existe et qu'il a besoin d'aide. Cela n'est pas toujours facile. Cependant, essayer de le régler rapidement augmente les chances d'y parvenir. Mais il n'est jamais trop tard pour chercher de l'aide.

Réprimer les émotions et broyer du noir peut parfois causer des problèmes.
Un trouble mineur peut prendre des proportions démesurées. Certains problèmes se règlent par une crise de larmes ou une longue discussion. Il est important de se préparer à affronter des situations difficiles. Elles font partie de la vie et il est impossible de les éviter. On ne peut évacuer une émotion en faisant semblant de ne pas l'éprouver.

Guillaume a parlé de la situation avec ses parents et cela l'a aidé à la régler.
Il n'y a pas lieu de se sentir honteux de souffrir de dépression ou d'autres troubles mentaux. Si tu as des problèmes émotionnels ou si tu es très stressé, parler à une personne en qui tu as confiance peut t'aider. Tu peux t'adresser à un ami, à un membre de ta famille ou à une personne extérieure.

ET TOI, QUE PEUX-TU FAIRE ?

APRÈS AVOIR LU CE LIVRE, TU COMPRENDS SANS DOUTE MIEUX CE QUE SONT LA DÉPRESSION ET LES AUTRES TROUBLES MENTAUX.

Tu sais maintenant qu'il est important de t'occuper de ton équilibre psychique et qu'il n'y a pas lieu d'avoir honte de la détresse mentale.

Tu souhaites peut-être en savoir plus sur les différents problèmes de santé mentale afin de combattre les idées reçues et la discrimination. Tout le monde n'aura pas ce genre de problèmes ou ne côtoiera pas des malades mentaux. Cependant, les situations qui exigent des ressources émotionnelles et qui sont source de stress font partie intégrante de la vie. Apprendre à les affronter est important. Si tu penses avoir un problème ou si tu t'inquiètes pour quelqu'un, tu peux trouver de l'aide en te confiant à un ami, à un membre de ta famille ou à ton médecin de famille.

France :

Dépressifs, solitude et prévention au suicide :
La porte ouverte
21, rue Duperré
75009 Paris

SOS Amitié France
11, rue des immeubles industriels
75011 Paris

SOS dépression
110, rue du Cherche-Midi
75006 Paris

LES ADULTES DOIVENT SE SOUVENIR QUE LEUR ATTITUDE ENVERS
LES PROBLÈMES DE SANTÉ MENTALE PEUT INFLUENCER LEURS ENFANTS.

Les jeunes attendent souvent que les adultes prêtent une oreille attentive à leurs problèmes.

Les adultes et les jeunes gens qui auront lu ce livre
ensemble auront peut-être envie de parler
des problèmes évoqués. D'autres personnes
préféreront demander conseil à quelqu'un
qui n'est pas directement impliqué.
Tu peux obtenir des renseignements
et de l'aide auprès des
organismes dont voici la liste.

Boulimie et anorexie :
Boulimiques anonymes
6, rue Rougemont
75009 Paris

Groupe français d'études
de l'anorexie-boulimie
Maison des sciences de
l'homme
54, bd Raspail
75270 Paris Cedex 06

Maladie d'Alzheimer :
France-Alzheimer
21, bd Montmartre
75002 Paris

Psychoses :
UNAFAM (Union nationale
des amis et familles de
malades mentaux
12, villa Compoint
75017 Paris

Stress :
IFAS (Institut français de
l'anxiété et du stress)
5, rue Kepler
75116 Paris

Névroses :
AFTCC (Association
française de thérapie

comportementale
et cognitive)
100, rue de la Santé
75674 Paris cedex 14

Québec :

Association des
groupes d'intervention
en santé mentale
tel. 514/523-3443

Jeunesse écoute
tel. 1-800-668-6568

INDEX

Crédits photographiques
Toutes les photographies sont de Roger Vlitos excepté les suivantes : 20, Jo Partridge, Help the Aged ; 26, The Samaritans.